Schulausgabe

1. Lesestufe
Auf geht's ins
Lese-Abenteuer!

Katja Königsberg

Das kleine Gespenst geht in die Schule

Mit Bildern von Regine Altegoer

Mildenberger Verlag
Ravensburger Buchverlag

Bibliografische Information der Deutschen Nationalbibliothek:

Die Deutsche Nationalbibliothek verzeichnet diese Publikation
in der Deutschen Nationalbibliografie.
Detaillierte bibliografische Daten sind im Internet
über http://dnb.d-nb.de abrufbar.

1 2 3 16 15 14

Ravensburger Leserabe

Postfach 18 60, 88188 Ravensburg
Umschlagbild: Regine Altegoer
Printed in Germany
ISBN 978-3-619-14472-3
(für die gebundene Ausgabe im Mildenberger Verlag)
ISBN 978-3-473-38560-7
(für die broschierte Ausgabe im Ravensburger Buchverlag)

www.mildenberger-verlag.de
www.ravensburger.de
www.leserabe.de

Inhalt

Henry feiert Geburtstag

Henry ist Hausgeist
bei Paul und dessen Eltern.
Er kommt aus Schottland
und macht gern Musik.

Heute hat Henry Geburtstag.
Er wird 399 Jahre alt.
„Zum Geburtstag viel Glück!“,
singen Mama, Papa und Paul.

Auf dem Tisch steht eine Torte.
Daneben liegen die Geschenke.
Henry kommt im Sturzflug herbei
und bläst die Kerzen aus.

„Die letzten 399 Jahre
waren nicht schlecht!“,
sagt Henry.
„Aber die paar Monate bei euch
haben mir noch besser gefallen!“

Henry packt die Geschenke aus.
Von Mama und Papa bekommt er
einen neuen Dudelsack.
Der alte liegt noch
in Schottland.

„Tolles Teil!“, ruft Henry.
Dieses Instrument gehört
einfach zu ihm.

Paul hat ihm
einen wunderbaren Federschmuck
gebastelt.
„Super!“, lobt Henry
und zieht den Schmuck gleich an.
Er und Paul spielen Indianer,
bis es Zeit ist zu schlafen.

Paul kriecht in sein Bett,
Henry in seine Hängematte.

Doch Paul schreckt wieder auf.
„Auweia, morgen schreiben wir
ja ein Diktat!
Vor lauter Geburtstag
habe ich vergessen zu üben.“

„Ich komme morgen
mit in die Schule“, sagt Henry.
„Dann fällt das Diktat aus.“

Henry geht in die Schule

Am nächsten Morgen ruft Henry:
„Juhu! Mein erster Schultag!“
Er packt seinen Dudelsack
und seinen Federschmuck
in Pauls Turnbeutel.

Danach quetscht er sich
in den Ranzen.
Paul ist nicht sicher,
ob das alles eine gute Idee ist.

Mit Henry im Ranzen schwebt Paul
nur so über die Straße.
Unterwegs trifft er
seinen Freund David.
Der fragt erstaunt:
„Warum gehst du so komisch?“

Paul lacht und sagt:
„Das liegt an dem Gespenst
in meinem Ranzen.“
David tippt sich an die Stirn.
„Ich glaube, du spinnst!“

Sie erreichen den Schulhof
in letzter Minute.
Die anderen sind schon
unterwegs in die Klasse.

Die Lehrerin heißt
Frau Blume.
Sie hat blonde Locken
und eine Stupsnase.

Paul setzt sich auf seinen Platz.
Zuerst singen sie das Lied
„Ein Vogel wollte Hochzeit machen“.
Henry freut sich.
Das Lied kennt er schon.

Die Kinder wundern sich.
Jemand scheint den Gesang
auf seinem Instrument
zu begleiten.
Das hört sich wahrhaftig
wie ein Dudelsack an!

Paul bückt sich
und schiebt Henry erschrocken
tiefer in seinen Ranzen.

In der ersten Stunde
haben sie Kunst.
Jeder soll etwas malen,
was er sehr gernhat.

David malt seinen Papa.
Marie malt ihren Hund.
Paul malt seinen Hausgeist.

Frau Blume guckt ihm
über die Schulter.
„Wer ist denn das?“,
fragt sie erstaunt.
Paul sagt lieber nichts.

Danach haben sie Rechnen.
Paul holt sein Heft
aus dem Ranzen.

Henry reicht ihm das Mäppchen.
Dabei reckt er den Hals
und sieht Frau Blume.
Paul schubst ihn schnell zurück.

Die Aufgabe heißt:
„Die Schweine auf einem Bauernhof
haben zusammen 24 Beine.
Wie viele Schweine sind es?“
David meldet sich.
„Sechs Schweine!“, sagt er.

Auf einmal ruft eine Stimme:
„Was ist, wenn ein Schwein
nur drei Beine hat?“
Die Kinder lachen.

Frau Blume schüttelt den Kopf.
„Soll das ein Witz sein, Paul?“

Es klingelt zur Pause.
Paul teilt sein Käsebrot
in zwei Hälften.
Eine davon gibt er Henry.
Dann rennt er auf den Hof.

Henry versteckt sich

Henry schwebt aus dem Ranzen.
Er holt Dudelsack
und Federschmuck
aus Pauls Turnbeutel.
Dann schaut er sich überall um.

Die Tafel gefällt ihm besonders.
Er nimmt ein Stück Kreide
und malt eine Frau.
Eine nette Frau
mit Locken und Stupsnase!
„Gut getroffen!“, sagt er.

Dann fliegt Henry zum Schrank.
Neugierig schaut er hinein.
Er findet nur einen Stapel Hefte.

Da hört er auf einmal
Schritte und Stimmen.
Die Kinder kommen zurück!

Henry versteckt sich im Schrank.
Frau Blume ruft:
„Was ist das an der Tafel?“
Es klingt sehr erfreut.

Alle Kinder rufen im Chor:
„Das sind doch Sie, Frau Blume!“
Henry kann sich
nicht länger zurückhalten.
Er ruft aus dem Schrank:
„Na klar, das ist jemand,
den alle gernhaben!“

Dann schwebt er heraus
und verbeugt sich:
„Gestatten,
mein Name ist Henry!“

Henry bekommt Applaus

Halb ohnmächtig sinkt Frau Blume
auf ihren Stuhl.
Sie murmelt:
„Das ist doch nicht möglich!
Ein Indianer mit Dudelsack
in unserem Schrank!“

Henry lacht.
„Nein, ich bin Schotte
und Hausgeist bei Paul.“

Frau Blume fasst sich an den Kopf.
„Hausgeist?“, stöhnt sie.
„Auch das noch!“

Paul erklärt ihr:
„Henry ist auch mein Freund.
Er findet Schule ganz toll
und will unbedingt mit uns lernen."

Das hört Frau Blume sehr gern.
Sie schüttelt Henry die Hand
und sagt: „Herzlich willkommen!"

„Kommt jetzt das Diktat?“,
fragt Henry ein bisschen besorgt.
Frau Blume schüttelt den Kopf.
„Ach was, das Diktat
fällt heute aus!“

Die Kinder jubeln.
Aber es kommt noch besser.
Frau Blume sagt nämlich:
„Auf in die Turnhalle!
Ich habe den Eindruck,
wir brauchen alle Bewegung.“

Schon ziehen sie los,
Henry vorneweg.
Er bläst die Backen auf
und spielt auf dem Dudelsack,
so laut und so gut
wie noch nie.

In der Turnhalle hängt Henry
Instrument und Federschmuck
sorgfältig an die Ringe.
Trotz seines hohen Alters
kann er wunderbar turnen.

Frau Blume macht große Augen.
Paul platzt fast vor Stolz
auf seinen Hausgeist und Freund.

Die Kinder sind vor Begeisterung
ganz aus dem Häuschen.
Alle klatschen Applaus:
„Henry ist wirklich klasse!“

Leserätsel

mit dem Leseraben

Hast du die Geschichte ganz genau gelesen?
Der Leserabe hat sich ein paar spannende
Rätsel für echte Lese-Detektive ausgedacht.
Kannst du die Rätsel lösen?
Wenn du Rätsel 4 auf Seite 42 löst, kannst du
ein Buchpaket gewinnen!

Rätsel 1

In dieser Buchstabenkiste haben sich vier Wörter
aus der Geschichte versteckt. Findest du sie?

→ ↓

F	K	E	R	T	L	E
M	R	A	N	Z	E	N
U	E	P	L	I	U	B
S	I	U	T	U	Ä	G
I	D	I	K	T	A	T
K	E	F	R	B	O	D

Rätsel 2

Der Leserabe hat einige Wörter aus der Geschichte auseinandergeschnitten. Immer zwei Silben ergeben ein Wort. Schreibe die Wörter auf ein Blatt!

-tag Blu-

Haus-

-te

-me

Tor- -geist Schul-

Rätsel 3

In diesem Satz von Seite 37 sind acht falsche Buchstaben versteckt. Lies ganz genau und trage die falschen Buchstaben der Reihe nach in die Kästchen ein.

Er bläsit die Bancken auf
und spieldt auf deim Dudelsaack,
so launt und so gute wier noch nie.

1	2	3	4	5	6	7	8

Lösungen:
Rätsel 1: Musik, Kreide, Ranzen, Diktat
Rätsel 2: Hausgeist, Blume, Torte, Schultag
Rätsel 3: Indianer

Rätsel 4

Beantworte die Fragen zu der Geschichte.
Wenn du dir nicht sicher bist, lies auf den Seiten noch mal nach!

1. Wie alt wird Henry an seinem Geburtstag?
(Seite 5)
G: 399 Jahre.
R : 499 Jahre.

2. Was hat Paul für Henry gebastelt?
(Seite 9)
A: Eine tolle Hängematte.
I : Einen wunderbaren Federschmuck.

3. Was malt Henry an die Tafel?
(Seite 27)
N : Ein Schwein mit drei Beinen.
T : Eine nette Frau mit Locken und Stupsnase.

Lösungswort:

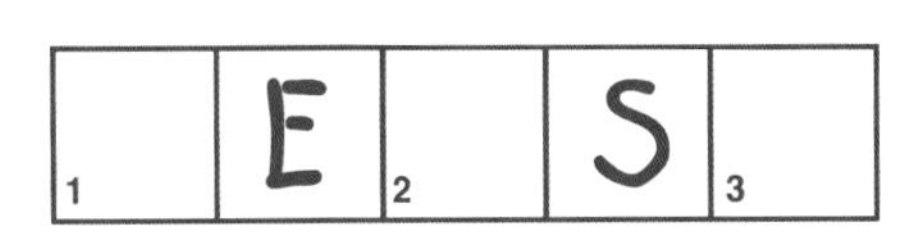

Jetzt wird es Zeit für die Rabenpost! Besuch mich doch auf meiner Homepage **www.leserabe.de** und gib dort unter der Rubrik „Leserätsel“ das richtige Lösungswort ein. Es warten außerdem noch tolle Spiele und spannende Leseproben auf dich! Oder schreib eine E-Mail an **leserabe@ravensburger.de**. Jeden Monat werden 10 Buchpakete unter den Einsendern verlost! Natürlich kannst du mir auch eine Karte schicken.

An den LESERABEN
RABENPOST
Postfach 2007
88190 Ravensburg
Deutschland

Ich freue mich immer über Post!

Dein Leserabe

Leichter lesen lernen mit der Silbenmethode

Durch die farbige Kennzeichnung der einzelnen Silben lernen die Kinder leichter lesen. Das gelingt folgendermaßen:

1. Die einzelnen Wörter werden in Buchstabengruppen aufgeteilt. Diese kleinen Gruppen sind leichter zu erfassen als das ganze Wort.
2. Die Buchstabengruppen sind ganz besondere Einheiten: Sie zeigen die Sprech-Silben an. Die Sprech-Silben sind der Schlüssel, um ein Wort richtig lesen und verstehen zu können.

Zum Beispiel können bei dem Wort „Giraffe" auch die ersten drei Buchstaben „Gir" als Gruppe gelesen werden: Gir - af - fe. Das könnte dann der Name einer besonderen Affenart sein.
Mit den farbigen Silben dagegen werden sofort die richtigen Buchstabengruppen erkannt: Giraffe. Beim Lesen ergibt sich automatisch der richtige Sinn. Es ist das Tier mit dem langen Hals gemeint.

Warum ist das so?
Beim Lesen in **Sprech-Silben** klingen die Wörter so, wie wir sie **sprechen** und **hören**. So kann der Sinn der Texte leichter entschlüsselt werden – lesen macht Spaß!
Sobald das Lesen flüssig gelingt, können auch alle Texte ohne farbige Silben sicher erfasst werden. Durch das Training erkennen die Kinder die Sprech-Silben automatisch.
Dadurch lesen alle Leseanfänger leichter und besser – und auch die nicht so starken Leser können schneller Erfolge erzielen.

Die farbigen Silben helfen nicht nur beim Lesen, sondern auch bei der **Rechtschreibung**. Sie machen die Struktur der deutschen Sprache sichtbar. Der Leseanfänger nimmt von Anfang an die Silbengliederung der Wörter wahr – und kann so die richtige Schreibweise ableiten.

Markieren die farbigen Silben die Worttrennung?
Die farbigen Silben zeigen die Sprech-Silben eines Wortes an. In den allermeisten Fällen ist das identisch mit der möglichen Worttrennung am Zeilenende. In erster Linie bei der Trennung einzelner Vokale (a, e, i, o, u; z.B. E-va, O-fen, Ra-di-o) gibt es einen Unterschied: Nach der aktuellen Rechtschreibung werden diese am Zeilenende nicht abgetrennt. Da diese Wörter aber mehrere Sprech-Silben haben, sind diese auch mit zwei Farben gekennzeichnet: Eva, Ofen, Radio, beobachten.

Weitere Informationen zur Silbenmethode auf: www.silbenmethode.de